bendon®

The BENDON name, logo, and Tear and Share are
trademarks of Bendon, Inc., Ashland, OH 44805.

BB-8
ASTROMECH
DROID

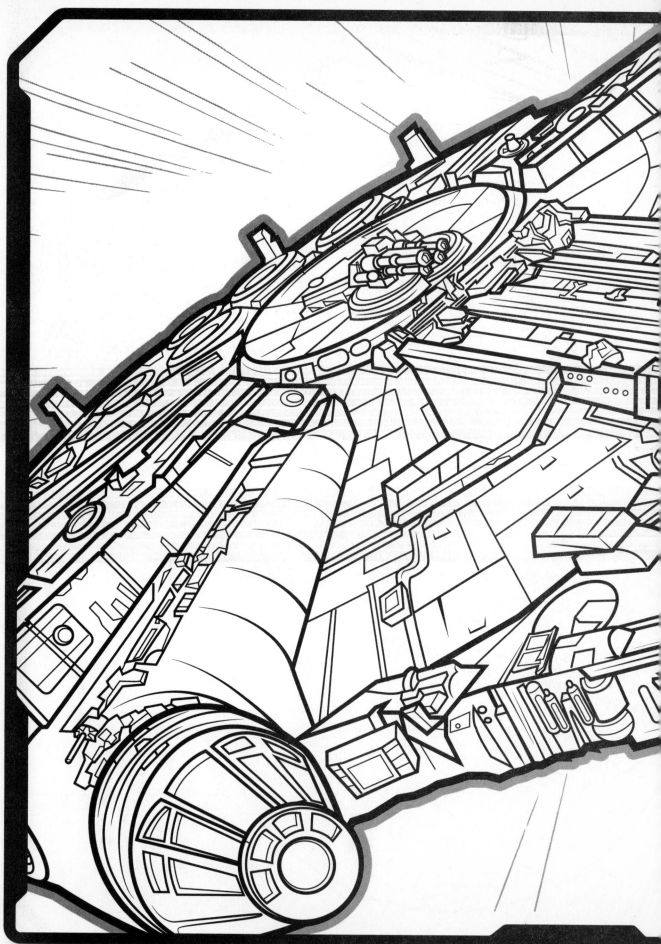

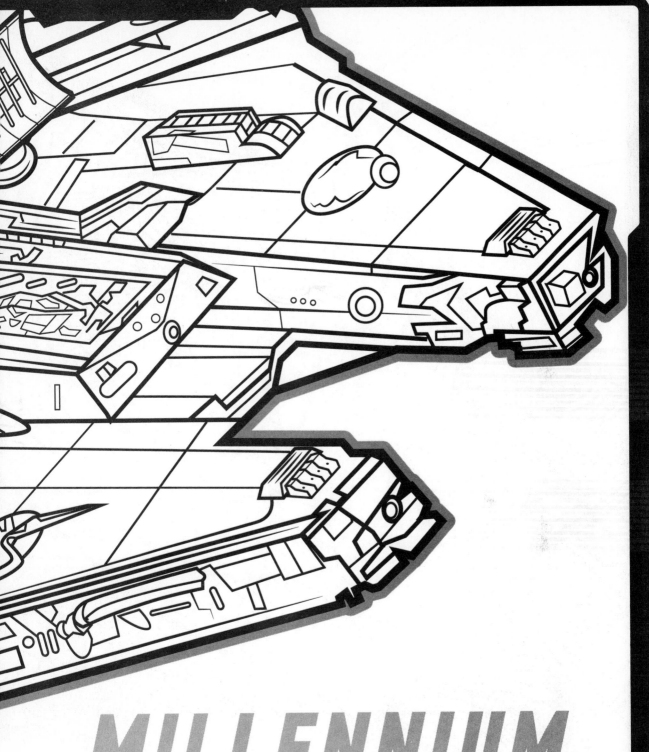

MILLENNIUM FALCON

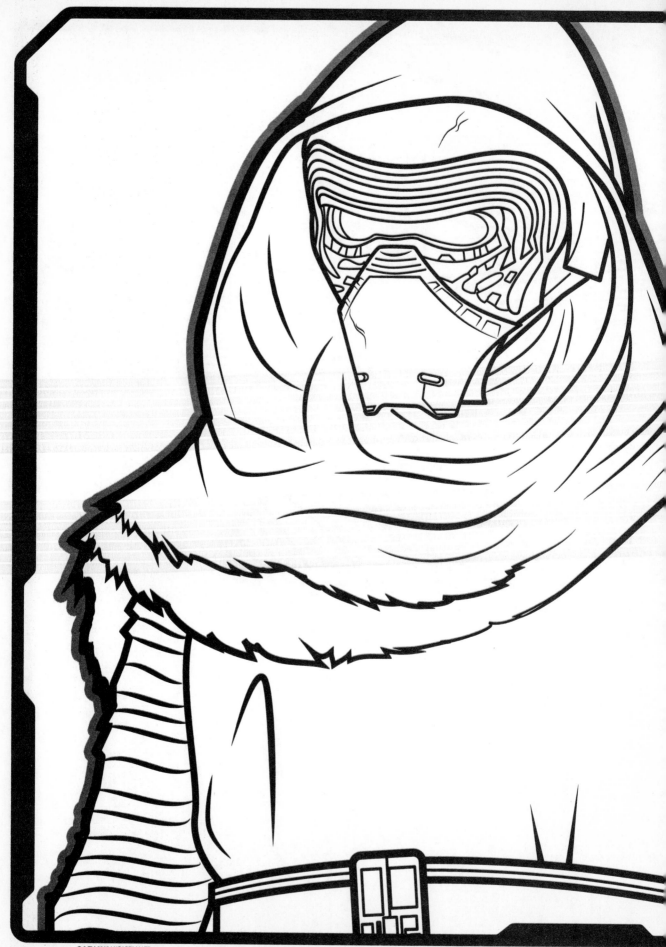

KYLO REN

SARCO

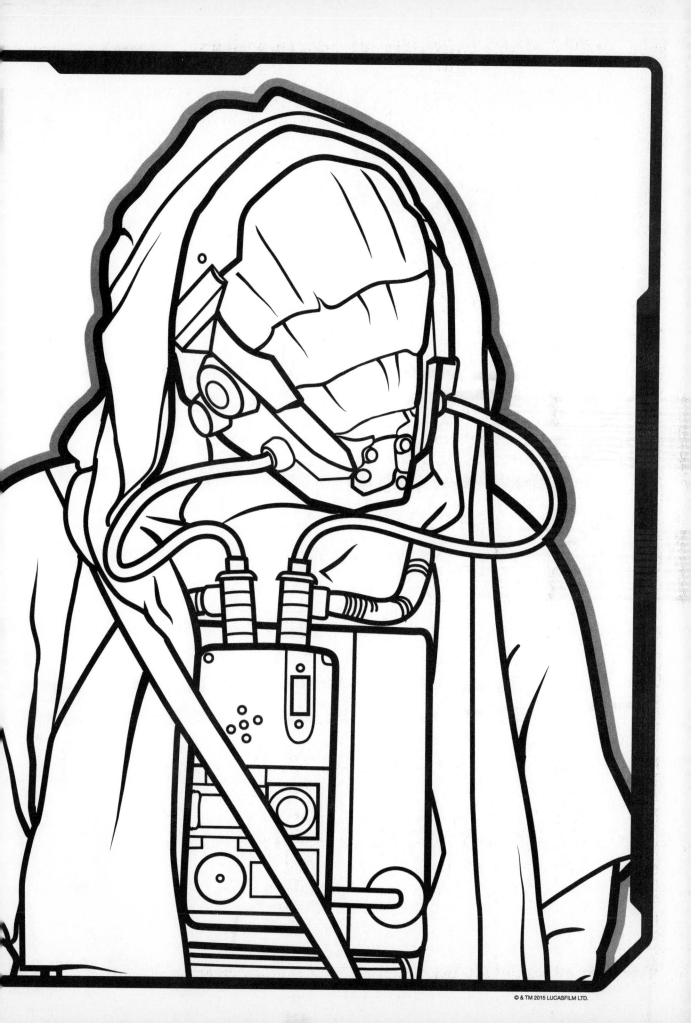

FINN

REY

REY'S SPEEDER

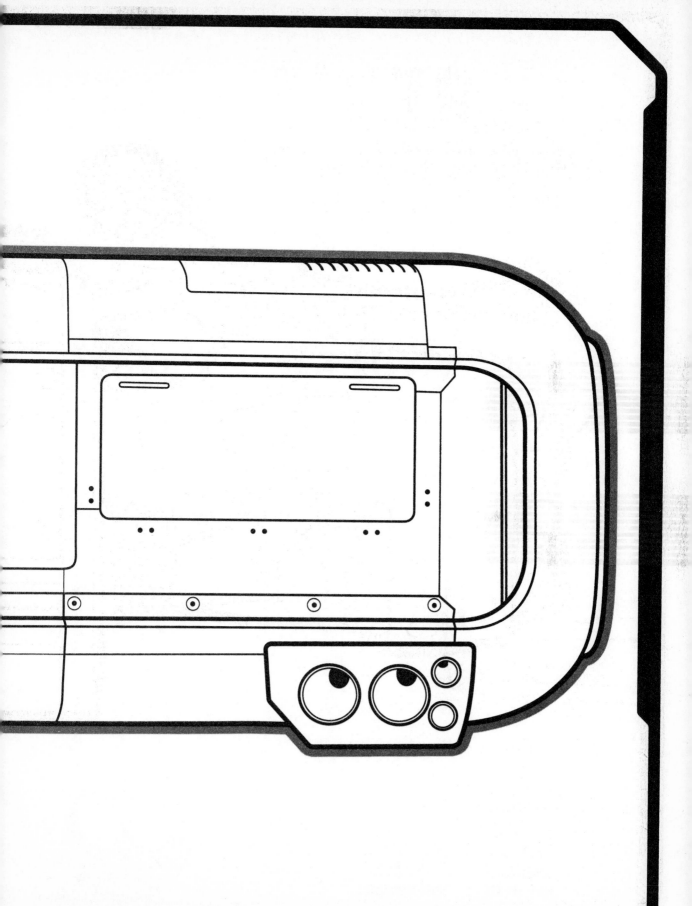

STAR WARS
RESISTANCE WORD SEARCH

```
X  A  J  Q  K  G  R  N  P  H  O  I  D
S  W  M  I  L  L  E  N  N  I  U  M  F
A  T  I  P  Q  U  Y  I  U  O  C  H  A
S  B  A  N  G  F  K  F  V  T  H  A  L
T  C  5  R  G  M  N  E  O  N  E  N  C
R  D  R  V  F  Q  O  I  J  N  W  S  O
O  U  L  S  R  I  P  N  O  Z  B  O  N
M  V  W  V  2  U  G  R  Y  7  A  L  A
E  D  M  T  D  E  E  H  B  A  C  O  Z
C  R  K  L  2  M  E  F  T  D  C  L  Y
H  O  L  C  A  C  3  P  O  E  A  E  W
S  I  R  D  R  K  M  S  T  I  R  I  J
E  D  E  S  P  E  E  D  E  R  2  A  B
C  O  G  E  C  N  A  T  S  I  S  E  R
P  F  H  R  E  P  O  O  R  T  B  B  8
```

RESISTANCE	BB-8	X-WING
TROOPER	C-3PO	STARFIGHTER
REY, FINN	R2-D2	POE DAMERON
SPEEDER	MILLENNIUM	ASTROMECH
LUKE, LEIA	FALCON	DROID
HAN SOLO	CHEWBACCA	

STAR WARS

FIND THE DIFFERENCE

Circle the drawing of Rey that is different.

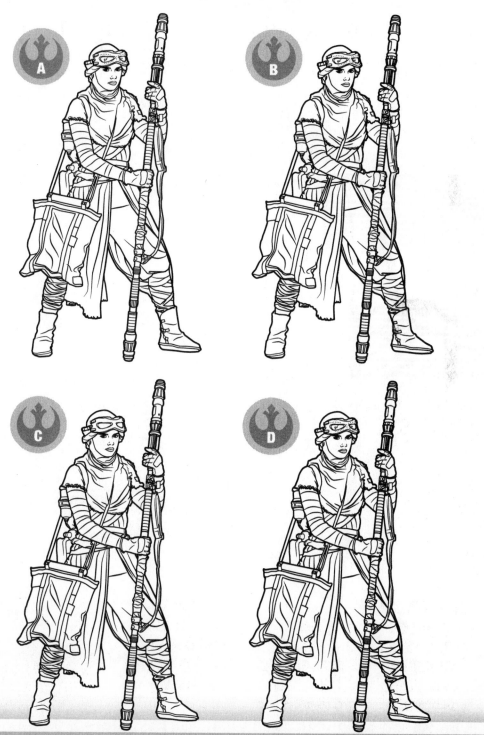

CAPTAIN PHASMA

STAR WARS
FIND THE DIFFERENCE

Circle the drawing of Kylo Ren that is different.

STAR WARS

Make different words from the letters in

CAPTAIN PHASMA

_____

_____

_____

_____

_____

_____

_____

_____

_____

GUAVIAN DEATH GANG

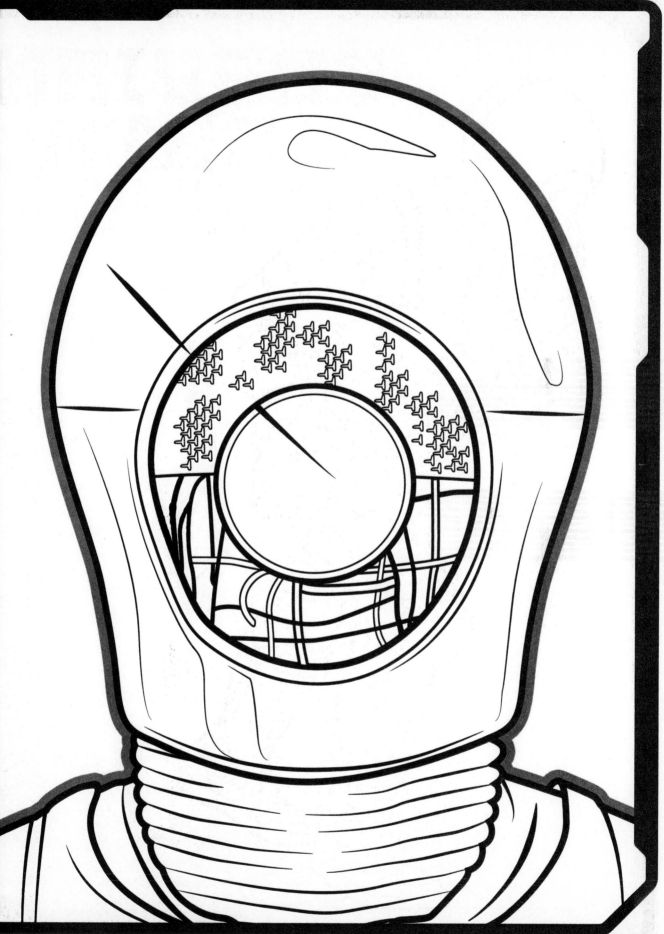

PZ-4C0

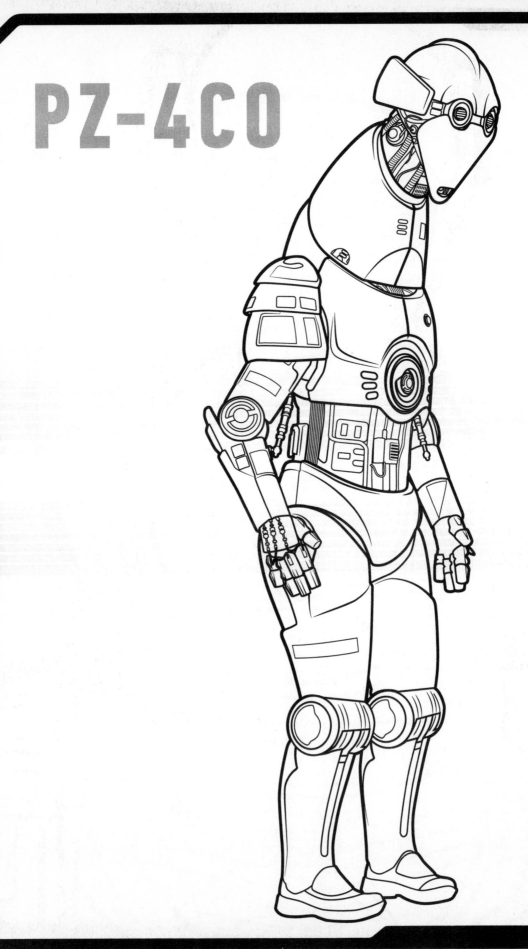

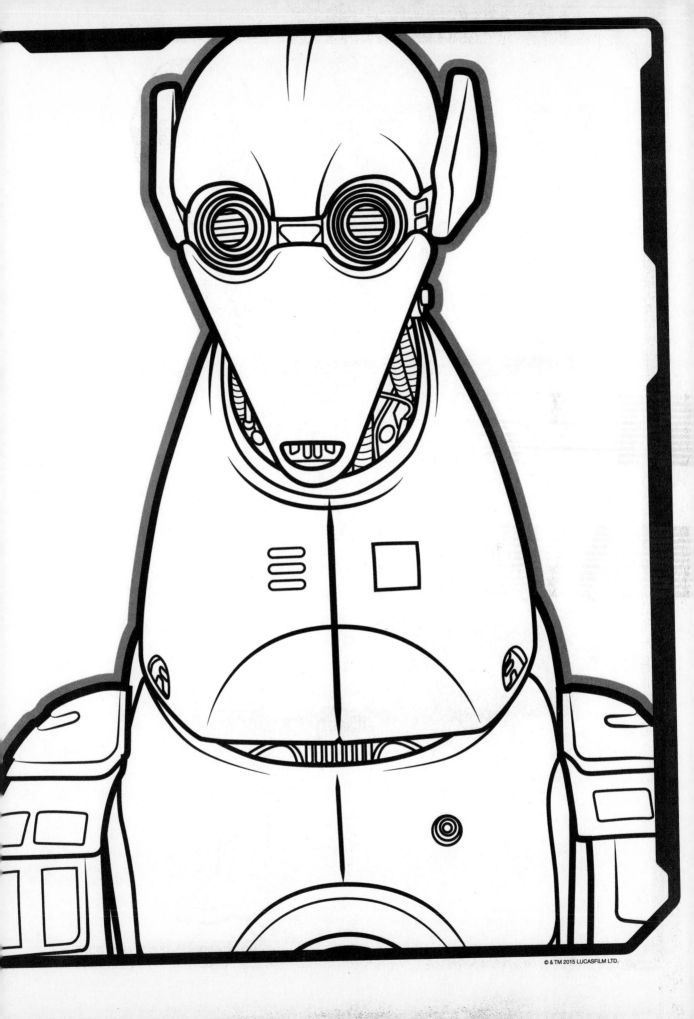

TEEDO

CHEWBACCA

R2-D2

POE DAMERON

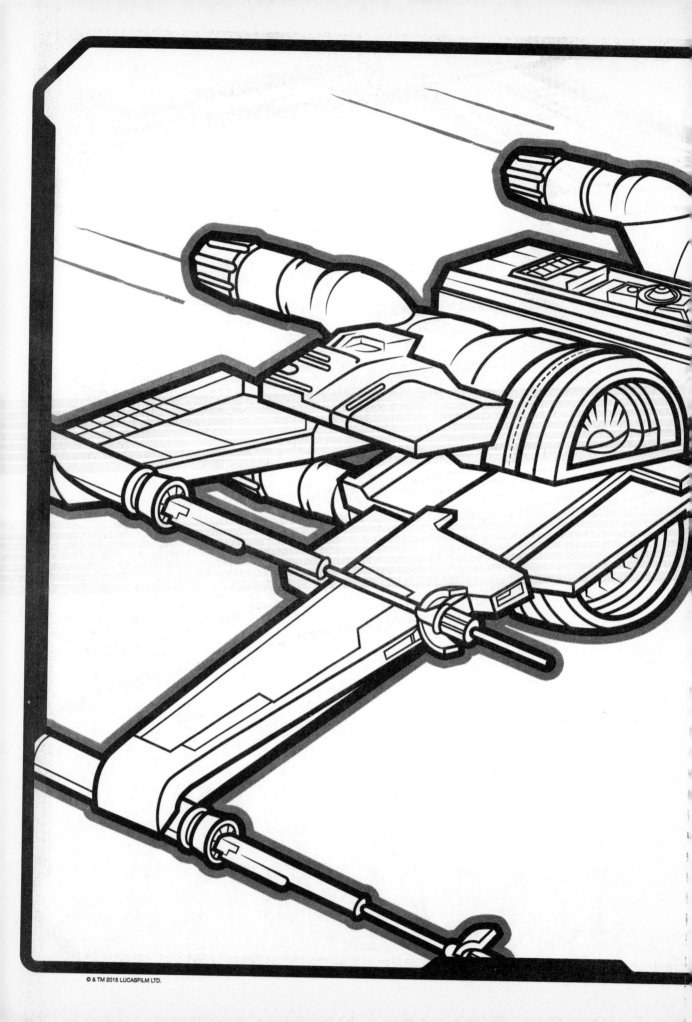

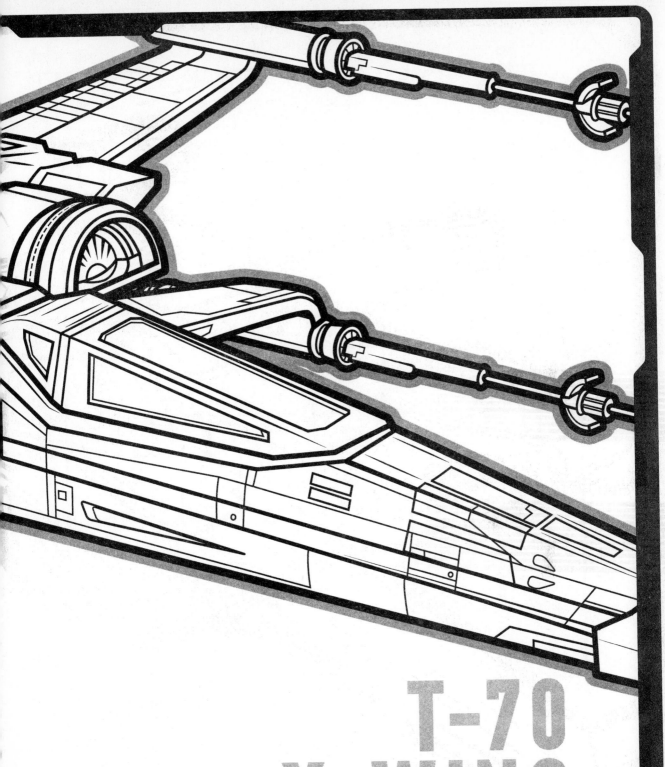

T-70
X-WING
STARFIGHTER

STAR WARS

X-WING STARFIGHTER MAZE

Lead Poe through the maze to his fighter!

START

FINISH

STAR WARS

WHICH PATH TO FOLLOW?

Which path leads Finn and BB-8 to Rey and her speeder?

A

B

C

STAR WARS

FIRST ORDER TROOPERS

Draw lines to match each name to the correct trooper.

1. STORMTROOPER

2. FLAMETROOPER

3. SNOWTROOPER

4. TIE FIGHTER PILOT

A   B   C   D

STAR WARS

TIE FIGHTER MAZE

Lead the TIE fighter pilot
through the maze to his fighter!

START

FINISH

FIRST ORDER
TIE FIGHTERS

TIE
FIGHTER
PILOT

FLAMETROOPER

FIRST ORDER SNOWTROOPER

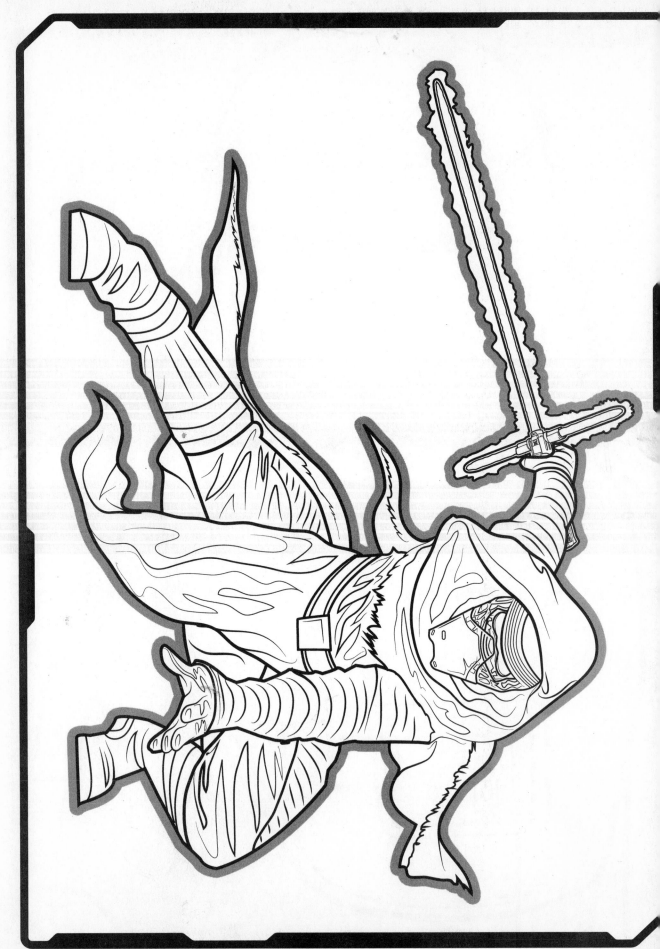